Paloma Bellini

Le passage secret

Illustrations de Luigi Raffaelli

Simon est dans sa chambre et il est très excité : il vient de battre un record avec son jeu vidéo préféré, *Space Animals* ! Il ne veut pas sortir de sa chambre, surtout après avoir battu un record si important.

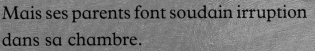

Mais ses parents font soudain irruption dans sa chambre.

— Allez, fais ta valise ! Demain on part finalement pour la montagne ! s'exclame sa mère toute contente.

— Quoi ?! Mais pourquoi ? Je ne veux pas venir à la montagne ! Je ne sais pas quoi faire et je ne connais personne.

— Je t'assure qu'un peu d'air te fera du bien, dit son père. Tu restes toujours enfermé ici.

— Zut alors ! Je vais m'ennuyer à coup sûr ! se plaint Simon.

– Qu'est-ce que je fais ici ? pense Simon. Dans ce petit village il n'y a même pas Internet ! Ici il fait froid et il n'y a que de la neige ! Et je n'ai même pas mon ordinateur ! Je vais devenir fou...

Il fait vraiment très froid : le vent est glacial et de gros flocons de neige tombent.
Il n'y a personne dans les rues. Simon est en colère et triste.

Simon ne s'aperçoit pas que deux jeunes, cachés derrière un arbre, l'observent avec curiosité.

– Ce type a l'air triste...dit le garçon au pull vert.

– J'ai entendu dire qu'il vient d'une grande ville. Il s'appelle Simon et il est arrivé hier avec ses parents, ils sont descendus dans notre hôtel. À mon avis, il s'ennuie terriblement, ajoute la fille.

– Qu'est-ce que tu en dis Christine...on l'emmène avec nous ? propose le garçon.

– Bonne idée Fabrice ! Je l'appelle tout de suite ! répond la fille.

La fille appelle Simon.

– Hé ! Simon! Ne va pas tout seul dans le bois !

Simon s'arrête et voit les deux ados. Il est de très mauvaise humeur.

— Et pourquoi ne puis-je pas aller dans le bois ? demande-t-il perplexe.

— Parce que tu peux rencontrer des animaux très dangereux , répond Christine en riant.

— Quoi ?

— Ici la plupart des animaux ne sont pas très sociables et ils s'irritent facilement si quelqu'un les dérange ! Pour ne pas avoir de problèmes, tu dois emprunter le passage secret.

– Arrête de te moquer de moi ! crie Simon, furieux.
– Tu ne me crois pas ? Alors reste ici et fais un bonhomme de neige ! Nous, demain, nous allons jusqu'au passage secret ! affirme Christine avant de s'en aller.
Mais Simon la retient par le bras, repenti.
– Hé ! Attendez s'il vous plaît. Je vous accompagne, de toute façon je n'ai rien à faire. Mais si vous vous moquez de moi je vais me mettre très en colère !
– Au secours ! J'ai peur ! sourit Christine.

Le lendemain matin Simon, Christine et Fabrice se rencontrent dans le bois. Le docteur Lefèvre, le vétérinaire du village, les accompagne.

– Il fait un froid de canard ! Mais il neige toujours ici ? se plaint Simon.

– Oui. Et toi, tu te plains toujours ? demande Fabrice.

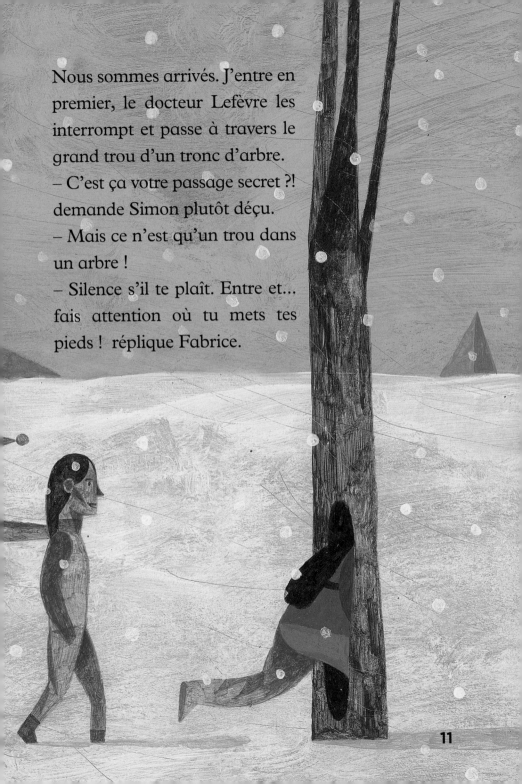

Nous sommes arrivés. J'entre en premier, le docteur Lefèvre les interrompt et passe à travers le grand trou d'un tronc d'arbre.

— C'est ça votre passage secret ?! demande Simon plutôt déçu.

— Mais ce n'est qu'un trou dans un arbre !

— Silence s'il te plaît. Entre et... fais attention où tu mets tes pieds ! réplique Fabrice.

Il y a une galerie sous l'arbre. Simon est très surpris.

– Mais...c'est incroyable ! Il y a vraiment un passage secret ! Et on peut voir les racines des arbres ! s'exclame-t-il.

– À dire vrai, c'est la galerie d'une vieille mine, explique le docteur Lefèvre. Elle est aujourd'hui abandonnée. Seulement notre animal la connaît. Sa tanière est au bout de la galerie.

– Mais c'est quoi cet animal ? demande Simon de plus en plus perplexe.

– Tu vas voir...répond le docteur Lefèvre. Fais attention maintenant ! Ça descend !

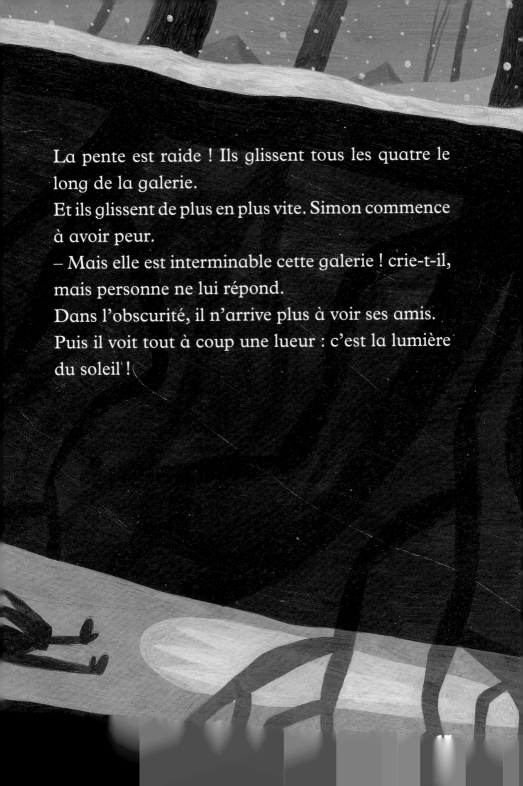

La pente est raide ! Ils glissent tous les quatre le
long de la galerie.
Et ils glissent de plus en plus vite. Simon commence
à avoir peur.
– Mais elle est interminable cette galerie ! crie-t-il,
mais personne ne lui répond.
Dans l'obscurité, il n'arrive plus à voir ses amis.
Puis il voit tout à coup une lueur : c'est la lumière
du soleil !

Simon se retrouve en un instant dehors, en plein air.
Il se retourne et voit un trou dans le tronc qui
ressemble à celui par où il était entré.

– Punaise ! Elle est drôlement palpitante cette
galerie ! s'exclame-t-il.

Personne ne répond. Ses amis ont disparu. Simon
se retrouve tout seul.

15

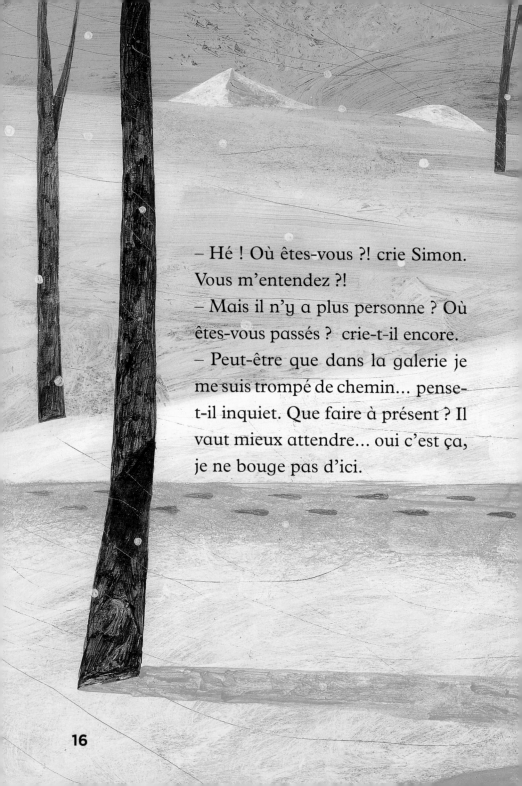

– Hé ! Où êtes-vous ?! crie Simon.
Vous m'entendez ?!
– Mais il n'y a plus personne ? Où
êtes-vous passés ? crie-t-il encore.
– Peut-être que dans la galerie je
me suis trompé de chemin... pense-
t-il inquiet. Que faire à présent ? Il
vaut mieux attendre... oui c'est ça,
je ne bouge pas d'ici.

Simon attend quelques minutes, mais il fait trop froid pour rester immobile. Il commence à marcher dans le bois. De loin, il aperçoit le toit de l'hôtel.

Il entend soudain un bruit...« Ce sont eux ! » pense-t-il.
Il se retourne et voit...un faon ! Le faon le regarde
et s'approche de lui. Il a l'air tranquille et de lui
faire confiance.

– Un faon ! Mais c'est...incroyable ! murmure
Simon très surpris.

Le jeune garçon s'approche timidement de l'animal.
Le faon ne bouge pas.

– Je vais peut-être réussir à le caresser, pense Simon.
Il s'approche encore et caresse le faon qui se laisse
faire. Simon sent son cœur battre à cent à l'heure :
il n'a jamais éprouvé une si forte émotion !

Des pas! Ses amis réapparaissent soudain parmi les arbres du bois en compagnie du docteur Lefèvre. Simon n'arrive plus à prononcer un mot tellement il est émerveillé d'avoir vu un si bel animal. Ses amis le regardent, perplexes.

Simon n'a pas encore compris une chose très importante.

Il n'a pas compris que l'animal est blessé à la patte. Les autres s'approchent en silence et le docteur Lefèvre s'agenouille à côté du faon.
– Où êtes-vous allés ? demande Simon. Pourquoi est-ce que vous m'avez laissé tout seul ?

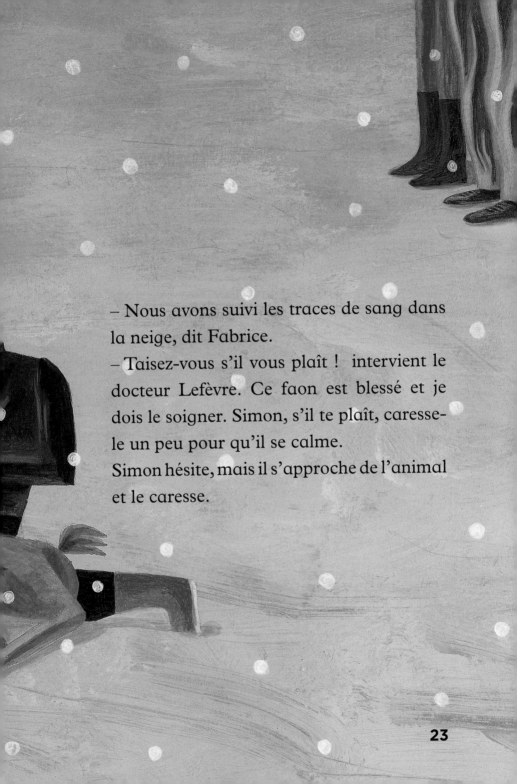

– Nous avons suivi les traces de sang dans la neige, dit Fabrice.

– Taisez-vous s'il vous plaît ! intervient le docteur Lefèvre. Ce faon est blessé et je dois le soigner. Simon, s'il te plaît, caresse-le un peu pour qu'il se calme.

Simon hésite, mais il s'approche de l'animal et le caresse.

Le docteur Lefèvre soigne la blessure du faon.
L'animal peut maintenant marcher, il va mieux
et s'enfuit en courant. Simon et ses amis le voient
s'éloigner dans le bois.

– J'avais vu du sang à côté du passage secret et
j'étais inquiet. Nous avons bien fait de venir ici, dit
le docteur Lefèvre.

– Je n'ai jamais vu un si bel animal, dit Simon.

– Oui, il est vraiment beau…soupire le docteur
Lefèvre. Nous devons tout faire pour protéger les
animaux contre les dangers et les chasseurs.

26

Quelle belle aventure ! Simon et ses amis sont émus et satisfaits ! Christine prend tout le monde par la main et commence à faire la ronde. Simon est très heureux maintenant : cette journée a été très spéciale pour lui.

Jouons ensemble !

1 **Complète le texte avec les mots manquants.**

> arbre   patte   vacances   vétérinarie
> montagne   secret   ordinateur
> colère   galerie   faon

Simon est très en _____ parce qu'il
doit laisser son _____ en ville : ses
parents veulent passer leurs _____
dans un petit village de _____ . Simon
s'ennuie mais il rencontre Christine, Fabrice et
leur ami _____ qui lui montrent un
passage _____ dans le tronc d'un
_____ . Ensemble, ils entrent dans la
_____ mais Simon se retrouve tout seul.
Il voit un _____ et s'approche de lui.
Heureusement que ses amis réapparaissent, le faon
est blessé à la _____ . Simon caresse
l'animal pendant que le docteur le soigne. Quelle
journée fantastique !

2 Observe les dessins et complète la grille.

3 Coche la bonne case.

1 Simon et ses parents partent ☐ hier ☐ demain
pour la montagne.

2 Simon reste ☐ toujours ☐ jamais enfermé
dans sa chambre.

3 ☐ Cela fait ☐ Il fait des mois qu'il s'entraîne
avec son jeu vidéo.

4 Christine appelle ☐ tout de suite ☐ après Simon.

5 Simon attend ses amis à la sortie de la galerie
☐ pour ☐ pendant quelques minutes.

6 Il entend ☐ tout de suite ☐ soudain un bruit,
c'est un faon !

4 Associe les visages aux sentiments.

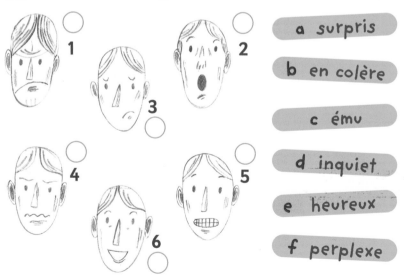

a surpris

b en colère

c ému

d inquiet

e heureux

f perplexe

5 Complète les phrases correctement.

> il y a du soleil   il y a du vent   il pleut
> il y a du brouillard   il fait chaud   il fait froid

1 Je sors mon parapluie quand _____ .

2 Dehors il fait -6°, _____ .

3 Mon chapeau s'est envolé, _____ .

4 Au bout de la galerie on voit de la lumière :

_____ .

5 Quand _____ je vais à la mer.

6 Je ne vois plus le toit de l'hôtel,

_____ .

6 Entoure 7 mots et lis le message secret.

PROMONTAGNETÉGVILLAGEONSLHÔTELESBOISANRUESIMMINEAUCHEMINX

___ _____ _____ _____ ___ ___ _____ !

7 Lis et dessine.

Simon a un nouveau jeu vidéo. Pour battre le record, il doit attraper des flocons de neige mais un faon arrive et mange les flocons.

8 Aimes-tu cette histoire ? Dessine ton visage.

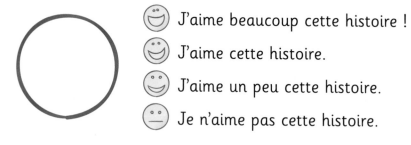

J'aime beaucoup cette histoire !

J'aime cette histoire.

J'aime un peu cette histoire.

Je n'aime pas cette histoire.